Le Maître Chat

D'après
Charles Perrault

ILLUSTRÉ PAR BENJAMIN LACOMBE

Ribambelle
HATIER

Graphisme et mise en page : Isabelle Gibert

© Hatier, Paris, 2006.
ISBN 978-2-218-92232-9
Loi 49.956 du 16 juillet 1949 sur les publications destinées à la jeunesse.

Achevé d' imprimer par Pollina à Lucon, France - N° L21840
Dépot légal : no 69288 - Février 2009

À l'heure de sa mort,
un meunier ne laissa à ses trois enfants
que son moulin, son âne et son chat.

Le partage fut bientôt fait :
l'aîné eut le moulin, le second eut l'âne
et le plus jeune, lui, n'eut que le chat.

Ce dernier ne pouvait se consoler
d'avoir eu si peu.
« Mes frères, disait-il, pourront gagner leur vie
honnêtement en se mettant ensemble ;
mais moi, lorsque j'aurai mangé mon chat,
et que je me serai fait un manchon avec
sa fourrure, je mourrai de faim. »

Le chat inquiet, qui avait tout entendu,
lui dit d'un air très sérieux :
« Ne vous inquiétez pas, mon maître ;
vous n'avez qu'à me donner un sac et me faire
faire une paire de bottes pour aller dans
les broussailles, et vous verrez que le partage
n'est pas si injuste que ça. »

Le maître du chat n'était pas vraiment
convaincu, mais il avait vu son chat faire tant
de tours pour prendre des rats et des souris
qu'il décida de lui donner ce qu'il avait demandé.

Quelques jours après,
le chat botté s'en alla dans un bois
où il y avait beaucoup de lapins.
Il mit du son et des herbes odorantes
dans son sac.

Il s'étendit comme un mort et attendit
qu'un animal vienne se fourrer dans son sac
pour manger ce qu'il y avait mis.
À peine fut-il couché qu'un jeune lapin entra
dans son piège.
Le chat tira aussitôt les cordons du sac,
prit l'animal et le tua sans pitié.

Tout heureux, il s'en alla chez le roi
et demanda à lui parler. On le fit entrer dans
le palais. Il fit une grande révérence au roi
et lui dit :

— Voilà, Sire, un lapin de garenne
que Monsieur le marquis de Carabas
(c'était le nom qu'il avait choisi de donner
à son maître, le fils du meunier) m'a chargé
de vous offrir de sa part.

— Dis à ton maître que je le remercie
et qu'il me fait plaisir.

Une autre fois, il alla se cacher dans
les blés, tenant toujours son sac ouvert,
et captura deux perdrix.
Il alla ensuite les présenter au roi, comme
il avait fait pour le lapin.

Le roi reçut encore avec plaisir
les deux perdrix et lui fit donner
à boire.
Le chat continua ainsi,
pendant deux ou trois mois,
d'apporter au roi le gibier
de son maître.

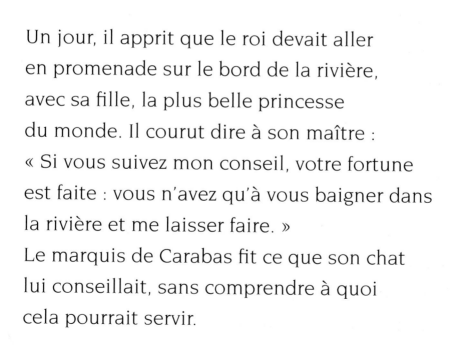

Un jour, il apprit que le roi devait aller
en promenade sur le bord de la rivière,
avec sa fille, la plus belle princesse
du monde. Il courut dire à son maître :
« Si vous suivez mon conseil, votre fortune
est faite : vous n'avez qu'à vous baigner dans
la rivière et me laisser faire. »
Le marquis de Carabas fit ce que son chat
lui conseillait, sans comprendre à quoi
cela pourrait servir.

Alors qu'il se baignait, le roi arriva près de la rivière. Le chat, après avoir caché les vêtements de son maître, se mit à crier de toute sa force :

« Au secours ! Au secours ! Le marquis de Carabas se noie ! »

Le roi mit la tête à la portière et reconnut
le chat qui lui avait apporté tant de gibier.
Il ordonna à ses gardes d'aller au secours
de Monsieur le marquis de Carabas.

Pendant qu'on retirait le pauvre marquis
de la rivière, le chat dit au roi que des voleurs
étaient venus et avaient emporté tous
les vêtements de son maître.

Le roi ordonna aussitôt à un garde d'aller
chercher un de ses plus beaux habits.

Le beau costume qu'on donna au marquis
lui allait à merveille et le roi lui fit mille
compliments.
La fille du roi le trouva fort beau elle aussi.
Le marquis de Carabas lui jeta deux ou trois
regards un peu tendres et elle en devint
amoureuse à la folie.
Le roi l'invita à poursuivre la promenade
avec eux.

Le chat, ravi de voir que sa malice
commençait à porter ses fruits,
prit vite les devants.

Sur la route, le chat rencontra des paysans qui fauchaient un pré. Il leur dit :
« Bonnes gens, si vous ne dites pas au roi que ce que vous fauchez appartient au marquis de Carabas, vous serez tous hachés menu comme de la chair à pâté ! »

Le roi, passant près des faucheurs, ne manqua
pas de leur demander à qui appartenait ce pré.

— C'est à Monsieur le marquis de Carabas,
dirent-ils tous ensemble, effrayés par la menace
du chat.

— Vous avez là un bel héritage, dit le roi
au marquis de Carabas.

— C'est vrai, répondit le marquis.

Le chat, qui allait toujours devant, rencontra
des moissonneurs, et leur dit :
« Bonnes gens qui moissonnez, si vous
ne dites pas que tous ces blés appartiennent
à Monsieur le marquis de Carabas, vous serez
tous hachés menu comme chair à pâté ! »

Le roi, qui passa un moment après, voulut
savoir à qui appartenaient tous les blés
qu'il voyait.
« C'est à Monsieur le marquis de Carabas »
répondirent les moissonneurs et le roi
s'en réjouit encore avec le marquis.

Le chat, qui allait devant le carrosse, répétait.
la même chose à tous ceux qu'il rencontrait.
Le roi était de plus en plus étonné de voir tout
ce qui appartenait au marquis.

Le chat arriva enfin près d'un beau château
dont le maître était un ogre très très riche.
En réalité, toutes les terres que le roi avait
admirées appartenaient à ce château.
Le chat se renseigna, apprit qui était cet ogre
et ce qu'il savait faire. Il demanda alors
à lui parler, disant qu'il n'avait pas voulu passer
si près de son château, sans avoir l'honneur
de lui faire la révérence.

L'ogre le reçut aussi bien
que le peut un ogre
et lui proposa de s'asseoir.
– On m'a raconté, dit le chat,
que vous saviez vous changer
en toutes sortes d'animaux,
que vous pouviez, par exemple,
vous transformer en lion
ou en éléphant.
– Cela est vrai,
répondit l'ogre un peu agacé,
et je vais vous le prouver.

Le chat fut si effrayé de voir un lion devant lui
qu'il grimpa aussitôt sur la gouttière.
Quelque temps après, le chat vit que l'ogre
était redevenu normal. Il se montra et avoua
qu'il avait eu bien peur.

– On m'a assuré, dit le chat, que vous aviez
aussi le pouvoir de vous transformer en petits
animaux, par exemple en rat ou en souris.
À mon avis, cela est tout à fait impossible.
– Impossible ! reprit l'ogre, vous allez le voir.
Et aussitôt, il se changea en une souris
qui se mit à courir sur le plancher.

Le chat, rusé, se jeta dessus et la croqua
sans hésiter.

Au même instant, le roi vit en passant
le magnifique château de l'ogre et voulut
le visiter.

Le chat, qui entendit le bruit du carrosse
sur le pont-levis, courut au-devant, et dit au roi :
– Que Votre Majesté soit la bienvenue dans
le château de Monsieur le marquis de Carabas !
– Comment, Monsieur le marquis, s'écria
le roi, ce château est également à vous ?
Je n'ai jamais rien vu de plus beau.
Pourrions-nous entrer ?

Le marquis donna la main à la jeune
princesse et suivit le roi. Ils entrèrent dans
une grande salle dans laquelle attendait
un magnifique repas que l'ogre avait fait
préparer pour ses amis.

Le roi tomba définitivement sous le charme
du marquis de Carabas ; sa fille, quant à elle,
en était folle. Après avoir bu cinq ou six verres,
le roi s'écria :
« Il ne tient qu'à vous, Monsieur le marquis,
de devenir mon gendre ! »

Le marquis, aux anges, accepta l'honneur
que lui faisait le roi et, le jour même, épousa
la princesse.

Le chat devint un grand seigneur, et ne courut plus après les souris que pour s'amuser.

Quel qu'en soit l'avantage,
La malice et le courage
Valent mieux que tout héritage.

FIN